劉福春・李怡 主編

民國文學珍稀文獻集成

第三輯

新詩舊集影印叢編　第106冊

【邵洵美卷】

花一般的罪惡

上海：金屋書店 1928 年 5 月初版

邵洵美　著

詩二十五首

上海：時代圖書公司 1936 年 4 月初版

邵洵美 著

花木蘭文化事業有限公司

國家圖書館出版品預行編目資料

花一般的罪惡／詩二十五首／邵洵美　著 — 初版 — 新北市：花木蘭文化事業有限公司，2021〔民110〕

66面／92面；19×26公分

（民國文學珍稀文獻集成・第三輯・新詩舊集影印叢編　第106冊）

ISBN 978-986-518-473-5（套書精裝）

831.8　　10010193

ISBN-978-986-518-473-5

民國文學珍稀文獻集成・第三輯・新詩舊集影印叢編（86-120冊）

第106冊

花一般的罪惡
詩二十五首

著　者　邵洵美
主　編　劉福春、李怡
企　劃　四川大學中國詩歌研究院
　　　　四川大學大文學學派
總編輯　杜潔祥
副總編輯　楊嘉樂
編　輯　許郁翎、張雅淋、潘玟靜　美術編輯　陳逸婷
出　版　花木蘭文化事業有限公司
社　長　高小娟
聯絡地址　235 新北市中和區中安街七二號十三樓
　　　　電話：02-2923-1455／傳眞：02-2923-1452
網　址　http://www.huamulan.tw 信箱 service@huamulans.com
印　刷　普羅文化出版廣告事業
初　版　2021年8月
定　價　第三輯86-120冊（精裝）新台幣88,000元

花一般的罪惡

邵洵美 著

金屋書店（上海）一九二八年五月初版。原書三十二開。

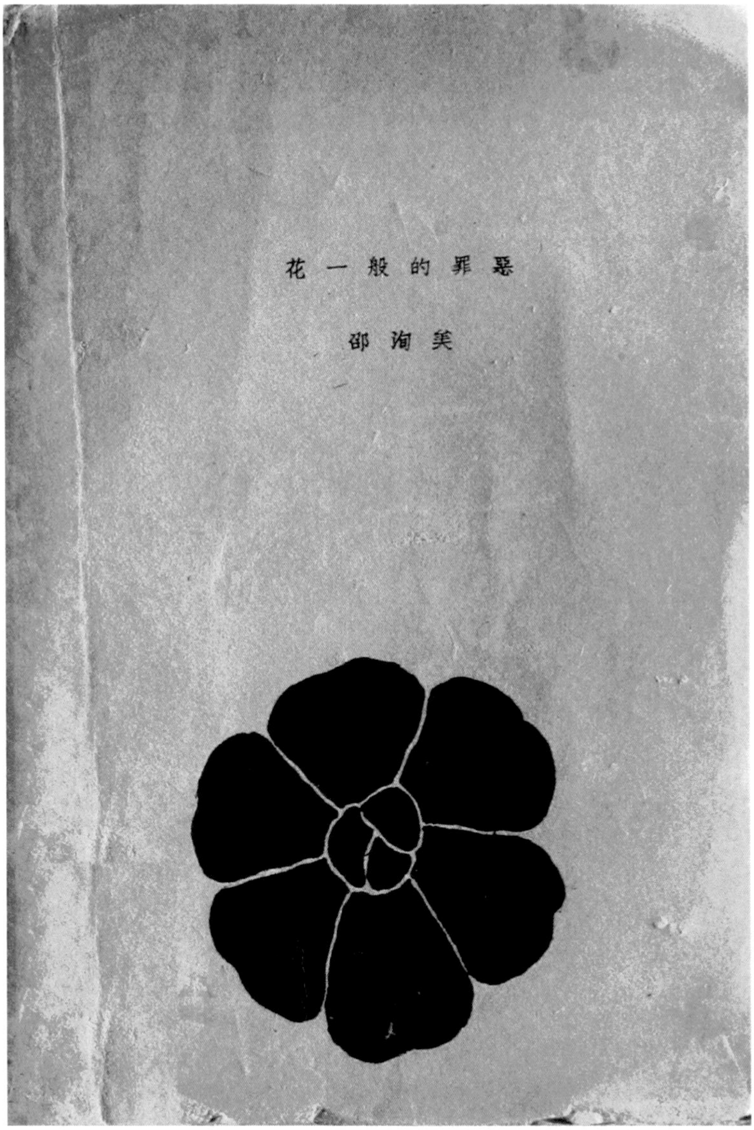
花一般的罪惡
邵洵美

五 月 五 日 初 版

每本實價

精裝九角

平裝五角

目　次

Légende de Pâris

情詩

戀歌

日昇樓下

上海的靈魂

花一般的罪惡

序　曲

我也知道了，天地間什麼都有個結束；
最後，樹葉的欠伸也破了林中的寂寞。
原是和死一同睡著的；但這須臾的醒，
莫非是色的誘惑，聲的慫恿，動的罪惡？

這些摧殘的命運，汙濁的墮落的靈魂，
像是遺棄的尸骸亂鋪在淒凉的地心；
將來溺沈在海洋裏給魚虫去咀嚼吧，
啊，不如當柴炭去燒燃那冰冷的人生。

i

還我我的詩

還我我的詩，淫娃，

　　啊得了你的吻，失了我的魂。

我也像太陽般癡，

　　一天天環繞著，追逐著晨星。

啊我的晨星，淫娃，

　　爲了你，我寫不出一字半句。

要是你不愛我時，

　　我將怎樣來寄託我的憂慮？

1

歌

多少朵花兒謝了，
多少張葉兒落了，
多少株樹兒枯了，
啊我們的上帝。

四月帶來了五月，
十月趕走了九月，
青色變成了白雪，
啊我們的上帝。

憂愁與快樂和了，
魔鬼將天神騙了，
不死的愛情病了，
啊我們的上帝。

3

Madonna Mia

啊，月兒樣的眉星般的牙齒，
你迷盡了一世，一世為你癡；
啊，當你開閉你石榴色的嘴唇，
多少有靈魂的，便失去了靈魂。

你是西施，你是浣紗的處女；
你是毒蟒，你是殺人的妖異：
生命消受你，你便來消受生命，
啊，他們愿意的愿意為你犧牲。

怕甚，像蜂針般尖利的慾情?

刺著快樂的心兒，流血涔涔?

我有了你，我便要一吻而再吻，

我將忘却天夜之後，復有天明。

五　月

啊慾情的五月又在燃燒，
罪惡在處女的吻中生了；
甜蜜的淚汁總引誘着我
將顫抖的唇親她的乳壕。

這裏的生命像死般無窮，
像是新婚晚快樂的惶恐；
要是她不是朵白的玫瑰，
那麼她將比紅的血更紅。

啊這火一般的肉一般的
光明的黑暗嘻笑的哭泣，
是我戀愛的靈魂的靈魂；
是我怨恨的仇敵的仇敵。

天堂正開好了兩扇大門，
上帝吓我不是進去的人。
我在地獄裏已得到安慰，
我在短夜中曾夢着過醒。

7

Z 的 笑

我知道了你的心，冷的火炎，
像在燃燒的冒著煙的冰窖。
你低了頭笑，你有意將背心向了我而笑，
啊，你蛇腰上的曲線已露著愛我的愛了。

爲甚你不常和我說話，說話，
祇是不相關地望望又笑笑？
你低了頭笑，你有意將背心向了我而笑，
莫非你在我眼睛中已見到了我的需要？

啊，你的心，你的背心，你的腰，
可容我將指尖兒抓上一抓？
你低了頭笑，你有意將背心向了我而笑，
我不問你笑些什麼，我的心早已滿足了。

9

月 和 雲

月中有愛，雲中什麼沒有；
雖然，一個有一個的溫柔？
啊，可惜不能捉了月和雲，
將他們來秤秤誰重，誰輕。

一個，有像蝌蚪般的眼睛，
一個，有未曾刺傷的櫻唇；
啊，兩件仙神羨慕的妖珍，
可容我，可容我一人來吞？

我已有桃紅的罪惡，千千；
灰色的慾求吓，無厭無厭。
啊，爲甚這有了我的世界，
有了她，有了她又有了她?

11

我們的皇后

爲甚你因人們的指摘而憤恨?
這正是你跳你肚臍舞的時辰,
淨罪界中沒有不好色的聖人。
皇后,我們的皇后。

你這似狼似狐的可愛的婦人,
你已毋庸將你的嘴唇來親吻,
你口齒的芬芳便毒盡了衆生。
皇后,我們的皇后。

管什麼先知管什麼哥哥爸爸?
男性的都將向你的下體膜拜。
啊將我們從道德中救出來吧。
皇后,我們的皇后。

13

頹加蕩的愛

睡在天牀上的白雲，
伴着他的並不是他的戀人；
許是快樂的慫恿吧，
他們竟也擁抱了緊緊親吻。

啊和這一朶交合了，
又去和那一朶纏綿地廝混；
在這音韻的色彩裏，
便如此吓消滅了他的靈魂。

昨日的園子

靜了靜了黑夜又來了;
她披著灰色的尼裳,
懷抱著憂鬱與悲傷,
啊她是殺光明的屠刀。

她隱瞞了上帝的住處;
牛馬鷄犬烏龜與人,
于是便迷茫地搜尋,
末後找到了魔鬼之居。

這裏有個昨日的園子，
青的葉兒是黃了的；
鮮的花兒是謝了的；
活潑的鳥兒是死了的。

還有一對有情的人兒，
相相地擁抱了親吻；
沒有氣吓也沒有聲，
啊他們是上帝的愛兒。

春

啊這時的花香總帶着肉氣，
不說話的雨絲也含着淫意；
沐浴恨見自己的罪的肌膚，
啊身上的緋紅怎能擦掉去？

17

一滴香涎

啊朋友你站在浣紗的溪邊，
你可在懷想那過去的紅顏？
蚯蚓吞食著的穢臭的泥裏，
有美人兒最後的一滴香涎。

啊爲了這同樣的一滴香涎，
你已沒福寄身聖廟的破簷，
你受盡了人的謾罵與天譴！
誰又來了解你誰又來可憐？

啊可是這同樣的一滴香涎，
曾沒沉了十百千萬的宮殿；
文人才子爲了她醉生夢死。
金盔鉄甲的武士氣息淹淹？

啊莫非這同樣的一滴香涎，
像雪一般清涼像蜜一般甜？
愛吧儘量地愛你要愛的吧，
好蜂兒不再去謝了的花間。

恐 怖

我底心中還留着你底小影，
我底嘴上却消了你底唇痕；
太陽的紅光已聚在山肩了，
啊那上燈的時分又要到了。

鼻裏不絕你那齷齪的香氣，
眼前總有你那血般的罪肌；
太陽的紅光已聚在山肩了，
啊那上燈的時分又要到了。

墮落的花瓣

墮落的花瓣
貼緊你
青衫的衣襟，
怪香的。

美人是魔鬼；
愛了你，
她總沾污你，
一定的。

To Sappho

你這從花牀中醒來的香氣，
也像那處女的明月般裸體——
我不見你包着火血的肌膚，
你却像玫瑰般開在我心裏。

To Swinburne

你是莎茀的哥哥我是她的弟弟，
我們的父母是造維納絲的上帝——
霞吓虹吓孔雀的尾和鳳凰的羽，
一切美的誕生都是他倆的技藝。

你喜歡她我也喜歡她又喜歡你；
我們又都喜歡愛喜歡愛的神秘；
我們喜歡血和肉的純潔的結合；
我們喜歡毒的仙漿及苦的甜味。

啊我們像是荒山上的三朶野花，
我們不讓人種在盆裏插在瓶裏；
我們從㶑泥裏來仍向㶑泥裏去，
我們的希望便是永久在㶑泥裏。

花

天和地結婚便生了他，
自然教育着漸漸長大；
他知道了什麽是愛，
他知道了什麽是美。

他充滿了詩詞的美麗，
是無聲的音樂的具體；
便沒別的貢獻添助；
也盡了生命的義務。

25

他沒有姊妹沒有兄弟，
他不覺無聊反覺有趣：
大宇宙是他底宅寓，
枝和葉是他底伴侶。

他愛看他足下的溪溝，
向着無障礙處笑着流；
有時小石攔住中途，
他便從他身上跳過。

他也愛他頭上的白雲，
有超脫和高尙的精神；
雖有時友朋着灰濁，
但幾曾有一次墮落。

他愛風不被環境束縛，
自由地逍遙東西南北；
曾踏盡高山底頂蓋，
也曾吻遍了洋與海。

他知道了太陽底本能，
他知道了月亮底潔淨；
本能不是時間造成，
潔淨方有白的光明。

他最怕那悲哀的鳴鳥，
在甜蜜的空中說牢騷；
明明是快樂的歌調，
却含着眼淚來呼號。

27

他惜着那腥穢的世界，
憐着人們被齷齪淘汰；
他希望忍耐的雨珠，
把這汙漬一一洗去。

他便吞了仙神的露漿，
吐出了他氣息的芬芳；
將地獄染成了天堂，
一切煩惱消滅淪亡。

春　天

當春天在枯枝中抽出了新芽，
處女的唇色的鮮花開遍荒野；
淚兒溶化了白雪的她仍過著
一個長夜，一個長夜，一個長夜。

啊，看這柳葉子簾遮著的黃鶯
獨自顫動著翅膀嘔吐著雲霞；
煩悶，羨慕，痛苦，希望，送去了她
一個長夜，一個長夜，一個長夜。

29

啊，爲了春天枯枝抽出了新芽；
啊，爲了春天荒野開遍了鮮花；
爲了什麼，爲了什麼，她要過著
一個長夜，一個長夜，一個長夜？

我忍不住了

我忍不住了我忍不住了！
白露總離不了秋的黑夜；
地的上面天天有個天在，
啊我怎能有一忽不見她？

我忍不住了我忍不住了！
燈儘望着月月儘望着燈；
偶然的風孃姍姍地步來，
我想抱她喲却撳痛了心。

31

來　吧

我便這樣地離了你，
我便這樣地離了帶淚的你，
你是染露的青葉子，
我便像那花瓣吓落下了地。

啊你我底永久的愛····
像是雲浪暫時寄居在天海。
啊來吧你來吧來吧，
快像眼淚般的雨向我飛來。

死了有甚安逸

死了有甚安逸死了有甚安逸！
睡在地底香聞不到色看不出；
也聽不到琴聲與情人的低吟，
啊還要被獸來踐踏蟲來噬嚙。

悶悶的心中的煩惱永遠鬱結，
儘你有千千萬萬苦去對誰說？
伴著腥臭的泥土穢汙的蚯蚓，
長在黑暗中過著寂寞的年月。

33

西施的冷唇怎及××的手熱？
惟活人吓方能解活人的飢渴。
啊與其與死了的美女去親吻，
不如和活著的醜婦推送爛舌。

愛的叮囑

你是知道了的，我怎愿
我底玉石之書去走進那金銀之寶庫！
進去了時你是知道的，
我底有歸宿的心又入了無目的的路。

爲什麼呢，好端端的魚
要獨自在泛濫洶湧的浪滔中去游泳？
爲什麼呢，小小的羊兒
要獨自在獅洞虎穴狼窩狐窟前游行？

85

啊使若你心愛的人兒
徘徊在比牢獄更可怕的陷阱之周圍，
你要是是有魂靈的人，
可仍像祖腹的荷葉臨着秋風般安泰？

啊已將疲憊而厭煩了。
從生之戶帶着快樂憂愁到死之門前。
啊闢開的門戶太多了，
請勿再問來去的道路而對仇讎乞憐。

甜蜜夢

可愛的,可怕的,可驕人的,
處女的舌尖,壁虎的尾巴。
我不懂,你可能對我說嗎,
四片的嘴唇中眞有愉快?

啊,玫瑰色,像牙色的一床,
這種的甜蜜夢,害我魂忙:
我是個罪惡底忠實信徒:
我想看思凡的尼姑御裝。

Ex dono Dei

為什麽白水的海洋不是白的，
千萬年的雨吓也洗不淨天地?
啊我曾在光明裏看見了黑暗——
穢污的皮膚貼着乾淨的身體.

甜蜜的日中或是酸苦的月下，
我當吻着你的唇吻着你的心，
像在深奥的山谷裏呼號奔跳;
像在熱烈的澗泉裏沐浴游泳.

我是隻小羊

我是隻小羊，
你是片牧場。
我吃了你我睡了你，
我又將我交給了你。

半暗的太陽，
半明的月亮，
嬰孩的黑夜在招手，
是小羊歸去向時候。

39

小羊歸去了，
牧場忘懷了。
我是不歸去的小羊，
早晚伴著你這牧場。

Légende de Pâris

啊我底可愛的維納絲，
我把這金蘋菓送給你；
你快給我個美人絕世，
這次的勝利乃是你底。

但這美人吓須要像你，
須要完全的像你自已，
要有善吸吐沫的紅唇；
要有燃燒著愛的肚臍：

41

也要有皇陽色的頭髮；
也要有初月色的肉肌。
你是知道了的維納絲，
世上祗有美人能勝利。

美人是遮蔽天的霞雲；
美人是浪之母風之姊；
美人是我底靈魂之主，
啊卻也是時光底奴隸。

情　詩

兩瓣樹葉般的青山，
夾着半顆櫻桃般的紅陽；
我將魂靈交給快樂，
火樣吻這水般活潑的光。

啊淡綠的天色將夜，
明月復來曬情人的眼淚
玉姊吓我將歸來了，
歸來將你底美交還給你。

戀 歌

碧玉的天池，
白壁的雲荷：
雲荷祇生在天池中，
天池中祇生着雲荷。

天池便是你，
雲荷便是我；
我祇生在你的心中，
你心中祇生着個我。

日昇樓下

車聲笛聲吐痰聲，
倏忽的烟形，
女人的衣裙。

似風動雲地人湧，
有肉腥血腥
汗腥的陣陣。

屋頂塔尖時辰鐘，
十點零十分；
星中雜電燈。

我在十字的路口，

戰顫着慾情；

偷想着一吻。

上海的靈魂

啊，我站在這七層的樓頂，
上面是不可攀登的天庭；
下面是汽車，電綫，跑馬廳，

舞臺的前門，娼妓的後形；
啊，這些便是都會的精神：
啊，這些便是上海的靈魂。

在此地不必怕天雨，天晴；
不必怕死的秋冬，生的春：
火的夏豈熱得過唇的心！

47

此地有眞的幻想，假的情；
此地有醒的黃昏，笑的燈；
來吧，此地是你們的坟塋。

花一般的罪惡

那樹帳內草褥上的甘露，
正像新婚夜處女的蜜淚；
又如淫婦上下體的沸汗，
能使多少靈魂日夜醉迷。

也像這樣個光明的早晨，
有美一人踏斷了花頭頸；
她不穿衣衫也不穿袴裙，
啊，是否天際飛來的女神？

和石像般跪在白雲影中，
慵倦地看着青天而祈禱。
她原是上帝的愛女仙妖，
到下界來已二十二年了。

她曾跟隨了東風西方去，
去做過極樂世界的歌妓；
她風吹波面般溫柔的手，
也曾彈過生死人的銅琵。

她噙淚的喉嚨唱的一曲，
曾衝破了夜的靜的寂寞；
曾喊歸了離坟墓的古鬼；
曾使悲哀的人聽之快樂。

她在祈禱了，她在祈禱了，
聲音戰顫着，像抖的月光，
又如那血陽渲染着粉牆，
紅色復上她死白的臉上。

"啊，上帝，我父，請你饒恕我！
你如不饒恕，不妨懲罰我！
我已犯了花一般的罪惡，
去將顏色騙人們的愛護。

人們愛護我復因我昏醉，
將淚兒當水日夜地灌溉；
又買弄風騷吓對我獻媚，
幾時曾想到死魔已近來。

“啊死魔的肚腹像片汪洋，
人吓何異是雨珠的一點；
啊，死魔的咀嚼的齒牙吓，
彷彿洶湧的浪滔的鋒尖。

“我看着一個個捲進漩渦，
看着一個個懊悔而咒咀，
說我是虵蝎心腸的狐狸，
啊，我父，這豈是我的罪過？

“但是也有些永遠地愛我，
他們不駡我反爲我辯護；
他們到死他們總是歡唱，
聽吧，聽他們可愛的說訴：

52

"世間原是深黑漆的牢籠，
在牢籠中我猶何妨與濃：
我的眉散亂，我的眼潮潤，
我的臉緋紅，我的口顫動。

"啊，千萬吻曾休息過了的
嫩白的醉香的一塊胸膛，
夜夜總袒開了任我撫摸，
撫摸倦了便睡在她乳上。

"啊，這裏有詩，這裏又有畫，
這裏復有一刹那的永久，
這裏有不死的死的快樂，
這裏沒有冬夏也沒有秋。

53

"朋友,你一生有幾次春光,
可像我天天在春中蕩漾?
怕我祗有一百天的麻醉,
我已是一百年春的帝王。

"四月的嘴唇中祗能產生
甜蜜結婚痛苦分離死亡?
本是不可解也毋庸解釋,
啊,這和味入人生的油醬。"

上帝聽了,吻着仙妖的額,
他說:煩惱是人生的光榮;
啊,一切原是"自己"的幻相,
你還是回你自己的天宮.

仙妖擻脫了上帝的玉臂，
她情愿去做人生的奴隸；
啊，天宮中未必都是快樂，
天宮中仍有天宮的神祕。

更正

頁	行	誤	正
87	5	像	象
39	8	向	的
52	1	啊	“啊

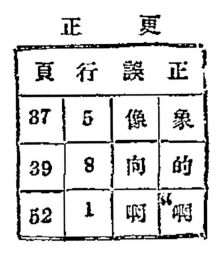

詩二十五首

邵洵美 著

時代圖書公司（上海）一九三六年四月初版。
原書三十二開。

新詩庫第一集第五種

詩二十五首

邵洵美著

上海時代圖書公司發行

詩二十五首

邵洵美著

上海

時代圖書公司發行

新詩庫第一集第五種
詩二十五首
民國二十五年四月初版
每冊實價四角
邵洵美著
上海四馬路
上海時代圖書公司發行
中市三百號

自序

十年的詩祇有二十五首可以勉强見得來人，從數量方面說，眞是寒酸得可憐。我的興趣多，喜管閒事，結果是自己吃了虧，人家還是不願意；寫文章的時間大部份讓別種東西佔去，到今天仍沒有退縮的勇氣：有時候簡直懷疑自己和詩的緣分。

我對於新詩從沒有表示過失望，文壇上缺少批評家來給予一種「道德的協助」是事實；無自知之明的便相信自己受了委屈，以爲自己是一件未被人發現的寶貝。我從沒有過這種幻想，寫成一首詩，祇要老婆看了說好，已是十分快樂；假使熟朋友再稱讚幾句，更是意外的收穫；千古留名，萬人爭誦，那種故事，我是當作神話看的。

我寫新詩已有十五年以上的歷史，自信是十二分的認眞；十五年來雖然因了幹着

吉訶德先生式的工作，以致不能一心一意去侍奉詩神，可是龕前的供養却從沒有分秒的間斷，這是我最誠懇最驕傲的自白。

原因是我和新詩關係的密切是任何人所不知道的。最初的時期倘以爲是自己的發現，我寫新詩從沒有受誰的啓示，卽連胡適之的嘗試集也還是過後才見到的。當時是因爲在教會學校裏讀到許多外國詩，便用通俗語言來試譯（爲一個舊家庭的子弟，他並沒有知道世上有所謂白話文運動。）到後來一位同學借給了我一份學燈，才知道這類工作正有許多前輩在努力。又由另一位同學的介紹買到了本創造，於是更堅決了自己的信仰；但是新詩人中最偉大的徐志摩，連名字都沒有聽到。當時常識的缺乏，現在想想眞好笑；不過也便是爲了如此，所以我的作品未曾受到過什麽壞影響。

我講這些話，當然並不是說一個詩人不應受到任何種的薰陶與影響；我祇是要讀我的詩的人知道，假使把我的詩去和人家的詩比較、他是會迷途的。

我也並不是說我沒有受到過任何種的薰陶與影響，外國詩的踪跡在我的字句裏

— 2 —

是隨處可以尋得的。這個不是榮耀：也不是羞恥，這是必然的現象一天到晚和他們在一起，你當然會沾染到一些他們的氣息。我也曾故意地去摹仿過他們的格律，但是我的態度不是迂腐的，我決不想介紹一個新桎梏我是要發現一種新秩序。

我以爲胡適之等雖然提倡了用白話寫文章寫詩，但他們的成就是文化上的；在文學上，他們不過是盡了提示的責任。我相信文學的根本條件是「文字的技巧，」這原是文學者絕對不能缺少的工具；但是他們除了用文言譯成白話以外，並沒有給我們看過一些新技巧。這番工作到了徐志摩手裏，才有了一些眉目，可惜他自己也是詩人，於是這些新技巧便變了他自己的裝飾，而不容易叫大家公開地享受。聞一多是一位詩藝的學者，但他介紹的外國技巧都偏重在形式方面。柳無忌，朱湘等也曾大規模地把外國詩的形式介紹到中國來，但因爲是十足的摹仿，於是被人譏爲西洋的鐐銬，說這種話的當然太不了解了學者的苦心，不過不澈底的全盤接收是難免會引起人家誤會的。孫大雨是從外國帶了另一種新技巧來的人，他透澈明顯，所以效力大；自己的寫照在詩刊登載出

來以後，一時便來了許多青年詩人的仿製。不久戴望舒又有他巧妙的表現，立刻成了一種風氣。

當然，光有新技巧也不夠。我們知道孫大雨在技巧以外還有他雄樸的氣概，戴望舒在技巧以外還有他深致的情緒，摹仿他們的人於是始終望塵莫及。從這裏，我們可以明白，有了新技巧還要有新意象，胡適之却一樣也沒有，因此他祇是新文化的領袖而不是新詩的元首。

所以我們要談新詩，最好先把胡適之來冷淡。（他自身的成就是另外一件事情，）我當然並不是說他和新詩的歷史關係可以完全抹殺，但是當新詩的技巧已經進步到有建設的意義的現在，他在藝術上的地位顯然是不重要的了。

新詩已不再是由文言詩譯成的白話詩，新詩已不再是分行寫的散文，我們祇要一看孫大雨，卞之琳等的近作便可以確信。

每一個時代有每一個時代的韻節，每一個時代又總有一種新詩去表現這種新的

— 4 —

韻節。而表現這種新的韻節便是孫大雨，卞之琳等最大的成就。前者捉住了機械文明的複雜，後者看透了精神文化的寂寞：他們確定了每一個字的顏色與分量，他們發現了每一個句斷的時間與距離。他們把這一個時代的相貌與聲音收在詩裏，同時又有活潑的生命會跟着宇宙一同滋長。這種技巧是爲胡適之等所不能了解的；因爲他們已達到了詩的最特殊的境界，儘有豐富的常識還是不容易去理會。

上面是簡單地說明新詩已發展到了什麼程度；同時也解釋新詩在近年來雖然外表上有過一時期的沉默，事實上新詩人是無時無刻不在努力他們技巧的鍛鍊，以求一個偉大成熟的表現。下面讓我約略說一說我自己的詩。

英國文學批評家尼古爾生說過：「一切文學運動的動機都是要反叛他們前代的故有的理論。」中國的新文化運動也是破壞的，他們要打倒舊禮教，打倒文言，打倒舊詩的格律……雖然胡適之後來有過建設文學的理論，但是他的根據仍舊是「反面的」。所以他的新詩理論與例子到了「白話自由詩」便中止了。我所引爲驕傲而慶幸的便

是當時我的年齡小沒有加入他們的運動；我的寫新詩便幾乎完全是由自己發動的：我一方面因爲舊體詩翻譯外國詩失敗，一方面因爲常讀舊式方言小說而得到了白話的啓示。

我第一次的新詩創作却是首散文詩，題爲二月十四日登在某年某月商務印書館出版的婦女雜誌裏。我還有許多小詩，人家看了或者會以爲受着當時流行的日本俳句式小詩的影響；事實上，說來慚愧，他們都是些英國名詩的節譯或改作，間或有自己的創製，也無非是些瑣碎的靈感。他們在一個不相干的地方發表出來以後；方才有朋友拿了周作人，冰心等的詩給我看：偶然的巧合竟給了我一個意外的教訓，我從此厭惡這種貪易取巧的工作而開始更嚴重的探求。

動身到歐洲以前，有人送我一本女神，一本冬夜，我感覺到一種新的力量在蠕動，但是嫌他們的草率與散漫。在意大利的拿波里上了岸，博物院裏一張壁畫的殘片使我驚異於希臘女詩人涉茀的神麗，輾轉覓到了一部她的全詩的英譯；又從她的詩格裏猜想

到許多地方有和中國舊體詩形似處，嫩弱的靈魂以爲這是個偉大的發現這時候許地山在牛津，我竟曾寫了封信把這一個毫無根底的意見去和他討論。他回信怎麼說我已忘掉，大概不缺少讚許與鼓勵。過後我便懷抱了個創造新詩格的癡望，當時寫了不少借用「莎茀格」的詩，有一首發表在一本叫做天堂與五月的集子裏。這集子裏還有各種詩格的嘗試現在看來都是幼稚得可憐，人家一提起我便臉紅。

我的詩的行程也真奇怪，從莎茀發見了他的崇拜者史文朋，從史文朋認識了先拉斐爾派的一羣，又從他們那裏接觸到波特萊爾，凡爾侖。當時祇求豔麗的字眼，新奇的詞句，鏗鏘的音節，竟忽略了更重要的還有詩的意象，後來和徐志摩有了深交，但是從他那裏我祇得到過分的獎譽。在這個時期裏我出版了花一般的罪惡。聽說徐志摩當時在我的背後對一位朋友說：「中國有個新詩人是一百分的凡爾侖。」這幾句話要是他親口對我說了，我決不會到了五年前方才明白我自己的錯誤。

也許這是每一個寫詩人所必然地要經受的試探，因爲我們第一次被詩來感動，每

— 7 —

每是爲了一兩行淺薄的哲學，或是纏綿的情話，或是肉慾的歌頌。第一次寫詩便一定是一種厚顏的摹仿。再進一步是詞藻的誘惑；再進一步是聲調的沉醉。我當時所認爲金科玉律的詩論便是史文朋所說的：『我不用格律來決定詩的形式，我用耳朵來決定』；以及摩理斯所說的：『我不相信有什麼靈感，我祇知道有技巧。』所以我五年前的詩，大都是雕琢得最精緻的東西；除了給人眼睛及耳朵的滿足以外，便祇有字面上所露示的意義。

這種『少壯的炫耀，』寫了洵美的夢便盡竭了。同時我便在『肌理』上用工夫。女人是第一次的嘗試。形式上是兩段整齊的四行詩，字數前後一樣，韻節却有變化。這首詩寫又驚又喜的性情，並說一個人同時可以有兩種感覺。前段因爲是寫敬重與驚畏，所以抑多於揚；後段因爲是寫疑心與快樂，所以揚多於抑：在詞藻上，在韻節上，在意象上，我要求能得到互相貫通的效果。聲音，自然的命令，天和地，以及 Undisputed Faith 等都是女人以後的作品。聲音和自然的命令是『五步無韻詩』的嘗試，天和地是『十四行詩』

的嘗試，Undisputed Faith 是『四步無韻詩』的嘗試。但是我的格律的嘗試，是性質的，不是形式的。譬如『五步無韻詩』的特點是在能使情境的力量延長，牠可以有更自然更複雜的變化；牠也有間斷，但氣韻是連貫的，讀的人卽使在中間休息一下，甚至擱置幾天，但是當他要繼續讀下去的時候，精神仍舊能會聚。正像是水上行船，那河道有時筆直，有時彎曲，有時寬，有時狹，有時要經過橋洞與山峽；悠長是這條流動的路程，兩端的距離儘使有幾百里幾千里，但是牠的生命是一根不斷的蛛絲，狂風暴雨也破壞不得牠一分一毫。用這種格律長詩會覺不到長；去欣賞牠當然要有健康的心靈，而希望一刹那的刺激的卻祇能怨怪自已的病弱。『四步無韻詩』變化的可能少，太長了會單調，但是牠的情致更來得親切，更來得素樸，適宜於更天真的意境。『十四行詩』是外國詩裏最完整最精鍊的體裁，正像中國的『絕詩』一樣，『麻雀雖小五臟俱全』，牠自身便是個完全的生命，整個的世界。去記錄一個最純粹的情感的意境，這是最適宜的。牠比中國的『絕詩』更多變化，用牠來練習新詩的技巧，可以得到極好的成績。我當然不勸人家去就什

麼範圍，但是字句的秩序是不可不有的。『詩是最好的字眼在最好的秩序裏』，我始終信任柯勒立治這句話。

我覺得一個眞正的詩人一定有他自己的『最好的秩序』。固定的格律不會給他幫助，也不會給他妨礙，所以我們與其說格律是給寫詩人的一種規範，不如說是給讀詩人的一種指點；字句的排列與音韻的佈置，不過是爲便利別人去欣賞。舊詩裏的平仄，字數與脚韻，也是這種作用。分行與音尺是外國來的新技巧，所以新詩至少比舊詩要多兩種工具。而舊詩的平仄乃是眞正的鍊鎖，所以我們把來廢除了。

『形式的完美是最大的德行，』這是高諦藹的話。形式的完美便是我的詩所追求的目的。但是我這裏所謂的形式，並不祇指整齊；單獨的形式的整齊有時是絕端醜惡的。祇有能與詩的本身的『品性』諧和的方是完美的形式。

關於詩的性質與題材，我也有一些意見；讓我說一說，以結束這篇序文。

大凡不喜歡新詩的都說新詩看不懂，即連胡適之與梁實秋最近也再三說新詩應

當要明白淸楚，前者那種攏統的批評，顯然是不負責任的固執，他們也許從來就沒有讀過新詩。後者的說話背面有苦衷。新詩的現狀，除了幾個特殊的人材，的確有一種普遍的病象；但是胡適之與梁實秋所給的，祇能作爲暫時的藥石，而不能作爲永久的丹方。我以爲詩是根本不會明白淸楚的。英國現代批評家諦里雅在他的詩的明顯與曲折一書裏也說過：「所有的詩多少總有些曲折的：我們從沒有明顯的詩。」但是他爲了要便利評論起見，便把詩分爲「明顯的」與「曲折的」兩種。讓我現在也根據了他這一種遷就的分類來解釋。其實「明顯的詩」這一個名目，的確勉强到了極點；一首詩到了眞正明顯的時候，牠便走進了散文的領域。所以這裏所謂「明顯的詩」祇能作爲「說明的詩」來解釋。當然抒情詩，寫景詩，敍事詩，說理詩，都可以算是「說明的詩，」但是所用的形容詞至多到了「譬喩」便要爲止；一到字眼發生了「象徵的作用」時，詩便曲折了。要說明什麼是「象徵的作用」恐怕非寫一部書不可：大概形容和譬喩是暫時的象徵，象徵則是永久的形容和譬喩；而凡是偉大的詩都有一種永久的象徵性。不過等到一首詩要用

形容及譬喻時，牠便也已經曲折了；所以詩要絕對明顯，除非寫得和散文一樣。但是要去欣賞一首曲折的詩是不容易的；讀詩的人要有十二分的誠意；他要有品味的決心，才能得到理解的享受。平常人每會畏難退縮。所以為整個新詩的命運着想，我們目前不妨減少牠的曲折，一步步把讀詩的人引上路來，否則他們會嚇得永遠不敢和牠接近；同時我們也可以停止他們的枝節的指摘，以免浪費我們的口舌。其實從大部份的新詩來講，成績是極其幼稚的，根本還談不到明顯與曲折。所以我們要對付的並不是『曲折的詩』眞正的詩；而是一般『假曲折的詩，』一般不會造句或是故弄玄虛的幼稚與拙劣作品。

新詩界中還有一個值得討論的是題材問題。原來題材的變換與形式的發展，同樣地是一種必然的現象。我們便用最明顯的例子來說，譬如在現代文明侵入以前，交通有着各種的阻礙，除了出外做官或是經商的，總是勾留在自己的家鄉，所見到的是自然的景色，所感到的是自然的閒靜；即有性好走動的人，帶着美酒乾糧，四處浪遊，所接觸的也無非是山水的秀麗，鳥獸的天眞：在這種雰圍裏寫詩，題材自會清高。到了現在，都市的熱

— 12 —

鬧誘惑了一切田野的心靈，物質文明的勢力也竄進了每一家門戶；一兩個小時中從茅草屋可以來到二十層的鋼骨水門汀的高廈門前，官能的感受已經更求尖銳，脈搏的跳動已經更來得猛烈：在這種時代裏再寫和往昔一樣的詩句，人家不笑他做作，也要說他是在懦怯地逃避現實了。一切的形容字，抽象名詞，都已更改了他們原來的意義；題材的變換已不是人力所能拒絕。新詩人的手頭便來了個更繁難的工作，他要創造新的字彙；他要有上帝一樣的涵量及手法，使最不調和的東西能和諧地融合。這個也許會給予讀詩的人一個艱難的印象，他們更會疑心到詩人祇是爲了自己而寫作。其實詩人的使命是「點化。」我以前說過，『詩是曇花一現的眞理的盡人力的記載：』詩人所寫的火車龍頭，決不是火車龍頭的機器的組織，乃是火車龍頭的靈魂的系統；正像一幅宇宙的圖畫，沒有慧心，你不能在一瞟眼間領悟這靈機。總之，我們懂不懂是一件事，但是我們決不能因爲不懂而說這是詩人的荒蕩。要知一個眞正偉大的詩人，他是無時無刻不自己負起去點化仝生靈的重任的；去了解他，你應當用十二分的虔誠與尊敬，所以在一個眞正

偉大的詩人面前，一切問題都不成其爲問題。

這些是我的意見，是我的信仰，也是我的供狀。我當然不敢希望你們用同一種的衡量來衡量我的詩；但是我相信，一件認眞的作品也決不會因了衡量的誇張而縮小了自己的尺寸。

二十五年四月一日

詩二十五首

贈一詩人

假使一百年後再有個詩人，
他一定不像我，也不像你；
溫柔摳緊他靈活的身體，
他認不得這是黃昏這是春。

啊，他再不會記得我，記得你。
他再不會唸我們的詞句：
在他眼睛裏，我是個瘋子，
你是個搽粉點胭脂的花瓣。

但是也許有個夢後的早晨，
枕邊聞到了薔薇的香氣，
他竟會伸進他襯褥底裏，
抽出兩冊一百年前的詩本。

—2—

洵美的夢

從淡紅淡綠的荷花裏開出了
熱溫溫的夢，她偎緊我的魂靈。
她輕得像雲，我奇怪她爲什麽
不飛上天頂或是深躲在潭心？
我記得她曾帶了滿望的禮物
蹓進失意的被洞；又帶了私情
去驚醒了最不容易睡的處女，
害她從悠長的狗吠聽到鷄鳴：
但是我這裏她不常來到，想是

她猜不準我夜晚上牀的時辰。
我愛讓太陽伴了我睡，我希望
夜鶯不再攪擾我倦眠的心神，
也許乘了這一忽的空閒，我會
走進一個園門，那裏的花都能
把他們的色彩芬芳編成歌曲，
做成詩；去唱軟那春天的早晨
就算是剩下了一根絃，我相信
她還是要彈出她屑碎的迷音，
（這屑碎裏面有更完全的纏綿）
任你能鎖住了你的耳朵不聽，
怎奈這一根絃裏有火，她竟會

煎你，熬你，燒爛你鐵石的堅硬。
那時我一定要把她摘採下來，
幫助了天去爲她的詩人懷孕。
詩人的肉裏沒有汚濁的秧苗，
胚胎當然是一塊純粹的水晶，
將來愛上了綠葉便變成翡翠，
愛上了紅花便像珊瑚般妍明：
於是上帝又有了第二個兒子，
清淨的廟堂裏重換一本聖經。
這是我的希望，我的想：現在，她
眞的來了；她帶了我輕輕走進
一座森林，我是來過的，這已是

天堂的邊沿，將近地獄的中心。
我又見到我曾經吻過的樹枝，
曾經坐過的草和躺過的花陰。
我也曾經在那泉水裏洗過澡，
山谷還抱着我第一次的歌聲。
他們也都認識我，他們說：洵美，
春天不見你；夏天不見你的信；
在秋天我們都盼着你的歸來；
冬天去了，也還沒有你的聲音。
你知道，天生了我們，要你吟咏；
沒有了你，我們就沒有了歡欣。
來吧，爲我們裝飾，爲我們說謊，

讓人家當我們是一個個仙人。
我聽了，上下身的血立時滚沸，
我完全明白了我自己的運命：
神仙的宮殿决不是我的住處。
啊，我不要做夢，我要醒，我要醒！

女人

我敬重你，女人，我敬重你正像
我敬重一首唐人的小詩——
你用溫潤的平聲乾脆的仄聲，
來綑縛住我的一句一字。

我疑心你，女人，我疑心你正像
我疑心一彎燦爛的天虹——
我不知道你的臉紅是為了我，
還是為了另外一個熱夢。

一首小詩

我沒曾給你看我心上的畫圖；
裏面有個你，雖然有些兒模糊。

我總忘不了你；假使我成了仙，
我要在天堂的門前等你上天。

那怕變了鬼我還是要耐了冷，
在地獄的洞口等着你的靈魂。

但是，現在我祇能做一首小詩
對你說，我在想你想得發了癡。

季候

初見你時你給我你的心，
裏面是一個春天的早晨。

再見你時你給我你的話，
說不出的是熾烈的火夏。

三次見你你給我你的手，
裏面藏着個葉落的深秋。

最後見你是我做的短夢，
夢裏有你還有一羣冬風。

—12—

聲音

夏夜在霨雨的中間，有一個
陌生的聲音對我說，我已走錯了
我要走的路，在白雲裏不能去找虹，
在楊柳的綠葉裏也不一定有
桃花的影子。

今早，不知名的天使
投進一封平常的信，從門縫裏：
迷醉的字體象徵一個含糊的
新聞，她給我幸福，她給我比幸福

更可怕的災害。

我不願做燈蛾，更不願
把自己的火去燒撲不滅的火；
我知道飢餓的眼睛會找到荼毒的
食糧，——原來上帝也有說不出
理由的時候：當他要禁止有翅膀的
飛；有情感的愛有癡望的唱出
他自己都不曾預備着的歌聲。

但是詩不能就這樣地結束，
正如上帝也有他講不完的故事。
她要我答復，（我想不出違心的話）

我說我喜歡幸福怕災害；
究竟哲學不是處女的期望，
白髮的恐怖不比櫻桃的豔紅，
她要我講出我遺忘了的成語，
她要我相信一朵嫩弱的花不用
季候的欺侮她自己會凋零；
但是，我怕，我怕讓同情揭穿了
我莊嚴的虛僞，一個摧殘了的
天眞。我把右手心貼着左手心，
一種單調的聲音做了我的回答。
這時候，我說，要是有酒，酒會
使我交出一篇料不到的供狀：

雖也許祇是一首背熟的詩，
一個想熟的字，一張看熟的畫；
可是他們都會像箭頭瞄準了
箭靶，一射竟射中最裏面的一點。
這時候，祇有那詩會對你說，一切的
安慰，報酬和愛都在那一枝釘上。
事情就會鬧大，眼淚會像雨，
情感會像風，自己會沒有主張。
你便會第一次見到靈魂和肉體
各自說出各自不敢說的話。
好在憂愁是你家常住的客，
你少不掉他，正如人少不掉靈魂，

靈魂少不掉愛，愛少不掉你。

為什麼平凡也會踏進你的門，
你款待他像是款待一個奇蹟？
你竟然把白鴿去配烏鴉，你把
麻雀當夜鶯；你不問他所要求的
是不是你痛苦的半份，或是
來對你貢獻一顆完整的禮物。

啊，我恨這世上有你，沒有你
情感的跳動就有了一定的分寸。
他不再會在那條幽暗的狹弄裏，

那璧灰白的高牆邊，去解答一種
解答不出的啞謎：煩悶對於他
就沒有了誘惑；出汗的夢
也就永遠封鎖進遺忘的倉庫。
我恨你，因爲你像酒精潑上光淨的
桌子般來到我這裏：我雖然不敢
燃上火，造出紅的綠的或是黃的花，
但是你却不等那瘋癲的時刻到來，
竟在我心上留了片印子走了。
這印子留得深，像是用了不知
那一個神的力，把最細的金針
鐫在不能洗滌也不能磨滅的

地方。我不信還會有第二個神
能爲我抹去這一個純潔的痕跡！
我恨你不走來對我說，我所有的
你的印象原是我自己的幻想：
你從沒有到過我心裏，更沒有
在我心裏撒過一粒會開花的
種子。我恨你爲什麼不對我說，
我應當把你忘掉，像我忘掉
我自己，當黃昏長得像早晨般美麗。
啊，幸虧月亮的話我懂得，她說：
我從沒有對你笑，那是小風
帶動了我的面紗；我也從沒有

又會催我梳裝你千萬不用想
我的朝暮的來去又是爲了你。
可憐一個見過仙人的，他總想
自己上天。他明知道蜜臘的羽翼
會化盡在火熾的日光裏；他明知道
雲邊的大風曾吹斷過幾千萬對
鋼鐵的翅膀：但是他總制不住
慾望的超升，像是一顆隕石
要趨向另一個星球；他要趨向
你。——假使你在夢中，聽得有
一個遙遠的聲音在喚着你的
名字，留心，這便是他在走近！

自然的命令

自然的命令，選擇的權柄是她的。
祇要她願意，她可以安置她的心
在大鵬鳥的翅膀中間飛上青天，
她也可以跟隨最眼快的老鷹
射那不肯放鬆的一箭；她也可以
讓白鴿帶了她平穩地旅行，旅行
到頂高的雲端，再驕傲地俯瞰
那一羣曾瘋癲地追逐她的朋友。
可是她要等，我不懂她是不是

要等人家憂愁的長成，來襯托
第三個冬天，她一聲冰冷的再會！
我早就明白她這一個鬆脆的決定
受不住北風的打擊馬上就破碎。
因爲她能唱，唱到夜鶯變啞吧；
因爲她有一雙看不遠的眼睛
會看得孔雀羞慚地把彩屏收起。
可是最叫人憐愛的，是她的幽靜，
孤獨像五里外輕霧裏隱約的島嶼：
在她的疆界裏沒有風，我幾乎
不相信江水會在她的周圍流動。
要是在早晨：在最早的早晨，我們看

露珠罩住她用一綃透明的夢，
我們就會怕這一段嬌弱的身體，
要經不起擁抱，淌出淡味的汗；
可是誰又敢挑破這張心跳的
風景？啊，我單願有殘忍的刑具
能加上她，更好是鋼鐵的枷鎖，
枷鎖住她的手，脚，眼睛和嘴脣，
把她關閉進三十三天上的牢獄，
叫她的聲音永遠傳不到人間。
本來餵哺她不能用平常的草穀；
侍候她，你可預備著神仙的食糧？
也許她自願忍受着飢渴，可是

這飢渴有什麽名目？你不能用
竹編的籠子騙她是金鑄的宮殿；
你不能用一小瓠糖水騙她是
打蜜鐵鈴島上帶來的葡萄槳。
因爲她祇是一頭天眞的小鳥，
不知道愛她的會對她說謊。
事情全瞞不了我，講假話總得
有個分寸。你可以對虛榮的鳳凰
說你有幾千幾萬朵牡丹說你有
一面太陽可以早晚照着她梳裝；
你可以對强悍的烏鴉說你有比
喜鵲的窩巢三百倍溫軟的牀舖：

苦楚是他們的名分，上帝許你。
可是你總不應當騙她，你得讓
她盡量地享受兩次春風的撫拂，
讓她明白這老大的宇宙從沒有
待虧她，從沒有壓倦她的吟詠。

—26—

天和地

請原諒我這荒蕩的固執，仙人。
醒時睡時我總看見你；原因是
我早把你的形象刻成了印子，
打上無數的印花在我的靈魂。
我對你的頌揚，不管你聽不聽，
準確地喊叫着像正午的鷄啼；
爲我每一秒鐘就是一個晝時，
每一秒鐘又曾加高我的嗓音。
我並不希望你會從天上下來——

一個霹靂要驚動一切的事物。
我但願不經意地在一個春天，
當人們自己忙着自己的歡快，
小風能不動聲色地送個消息，
就說天和地終有一天會接連。

Undisputed Faith

不要過分地懷疑我朋友。
誠心地我要裝飾這牆壁，
但是我有太多的名作
會使主人驚異這鏡框裏
時常有不可預言的變換。
我並沒有想要遮隱或炫耀，
但是我明白在季候更替的
空氣裏色調要隨時有，
新的配置：像是山頭和樹頂

春天不能留戀冬天的衣裳：
像是白雪，牠沒有固定的
形式，但是牠自由在一個
最大的範圍裏，牠決不會，
也從沒有躲避仙神的
駕御和使遣。牠是一個
會心的奴隸，你該明白。
我時常會放進誘惑的
圖畫，使主人過度地興奮，
使他以爲宇宙在他的
臥室裏失了節；他早忘却
窗幃外那隻鐵板的面孔——

可憐牠不願放棄牠歷史的
尊嚴我又時常會放進
平淡的速寫，因爲跑得
比時光更快的還有
刹那間的歡樂，這個你須在
冷寂中去回味；但是，
這並不說生命便是死，
因爲死究竟是一片容許
延宕的賬單，你可以借了
神的力或是人的力去關說，
要牠寬限些時日再索取。
我相信這事情的可能，

否則死神也會感覺到
他權威的單調。我又時常會
放進一些最純粹的作品，
沒有指定也沒有名目，
祇是線條和色彩的建築；
這建築也許有意義，但是
創造者從沒有顧慮到牠的
結果是失敗或是成功。
這是眞理的試探，你可以
借名來揑造出多少幻象。
朋友，我的苦心，也許會
使你感到麻煩和多餘；

但這是我所能做的一切:
盡量地把人工去安慰天然。

自己

我認識這是我自己，默數着
夜鶯嘴裏三百六十五個日子：
這些不適用的鉛印的記號。

已不是一次，我疑心上帝撥錯了
算盤珠，結果是不準確的答數；
我知道墨硯的半邊有一間經堂。

潮水也會逃避月亮，爲什麼

一定要變成眼淚叫天神哭?
但是，她發現了塡不滿的溝壑。

現在應當是你能回想的時候：
搬不動是江心裏一座孤島，
她曾經被姦汚，身體和靈魂。

你以爲我是什麽人

你以爲我是什麽人？
是個浪子，是個財迷，是個書生，
是個想做官的，或是不怕死的英雄？
你錯了，你全錯了；
我是個天生的詩人。

我愛金子爲了她燦爛的色彩；
我愛珠子爲了她晶亮的光芒；
我愛女人爲了她們都是詩；

啊，天下的一切我都愛，
祇要是不同平常。

但是，有的時候，
極平常的一個肥皂泡，一聲貓叫，
或是在田溝裏游泳的蝌蚪，
也會使我醉，使我心跳，
使我把我自己是個詩人忘掉。

是不是把肥皂泡當作了虹，
把貓叫當作了春的笑聲，
把蝌蚪當作了女人的眼睛？

我不知道，我全不知道；
你得去問那個不說誑的詩人。

牡丹

牡丹也是會死的
但是她那童貞般的紅，
淫婦般的搖動
儘夠你我白日裏去發瘋，
黑夜裏去做夢

少的是香氣：
雖然她亦曾在詩句裏加進些甜味，
在眼淚裏和入些詐欺，

但是我總忘不了那潮潤的肉，
那透紅的皮，
那緊擠出來的醉意。

出門人的眼中

溫柔匍伏在自己家裏的枕旁，
出門人的眼中是數不盡的渺茫，
每一隻陌生的面孔是一種恐慌；
不知名的鳥兒便是對了我歌唱，
我也當是在嘲笑我來自東方。

也有綣綿的手圈住我的項頸，
我也儘把金錢去換他們的恩情，
鏡子裏也有過兩對兩樣的眼睛；

我怕異香的玫瑰雖讓小蜂吸吮，
遭殃的是那嚐到甜味的靈魂。

我不敢上天

我不敢上天，我不敢上天，
天上有不少白了的紅顏，
你要我去我便去，怕祇怕
找到了的心兒又要不見。

雖然我已經聞過了花香，
甜蜜的故事我也曾品嚐，
但是可怕那最嫩的兩瓣，
儘叫我一世在裏面蕩漾。

我要造個雲母石的建築，
上面刻着一束束的髮束；
我要叫這些纏人的妖絲
不再能將我的靈魂細縛。

在這年歲老不了的天廷，
我不怕菩薩要我扮正經；
我就怕，我又奇怪，爲什麽
一個個的仙女都狠年輕。

永遠想不到的詩句

酒是人喝的，朋友人便得喝酒，
金黃的，翠綠的，連比白玉更白的都有；
經過了腸子，便打血管裏面走，——
一個個舞女在跳舞，一條條魚兒在游；

媳勸，輕送，翻湧，我懂得酒的話，
莫忘了今天比明天更值得寶貴，牽掛。
要什麼東西不妨到醉裏去拿，
那裏有掘不到的黃金，採不到的鮮花；

那裏的深夜不黑，太陽不煊紅；
那裏有我們做過的與沒做過的歡夢；
那裏的時光奔跑得比較從容；
那裏的憂愁的確有一隻快樂的面孔。

來吧，朋友，我們趕快同去那裏，
一杯，兩杯，三杯管叫你把你自己忘記；
這時候的你，朋友，這時候的你
便好像想到了句永遠想不到的詩句。

風吹來的聲音

我不相信，我不相信，這風吹來的聲音，
第一，我現在仍是和以前同樣地年青。
你不看見嗎，與櫻桃一般顏色的嘴唇，
仍將我這兩行白玉的牙齒包得緊緊？

在這紅紅的臥房裏，啊，還睡着個美人，
血霞色的臉兒，血霞色的上身與下身；
朋友吓，儘你有幾千個柳下惠的耐忍，
怕難逃，怕難逃，這小小舌尖兒的鈎引。

不講我端正的鼻子；或是能言的眉心；
也用不到將閃霎的星星比我的眼睛；
也用不到將這一顆顆酒渦去比陷阱；
也用不到將我的頭髮去比烏雲，黃金；

也用不到說我的手像春筍，脚像紅菱；
也用不到說我的胸脯像小鹿般歡欣；
也用不到說我的活潑能使你們盡情；
且靜一靜心，看我整個兒的似仙似神。

一百個靈魂，一百個靈魂要爲我沉淪；

一百對羽翼，一百對羽翼要爲我折盡。
火熾的心窩，你便燒死，你也得來投奔；
不必布什麼迷陣，怕你不走這條路程。

啊，誰說人間眞會有第二個怪物妖精，
敢將我手掌中的，裙腰下的，四奴佔侵？
去，去，休將你的口蜜造出甜香的宮廷，
我不相信，我不相信這風吹來的聲音。

假使我也和神仙一樣

假使我也和神仙一樣，
會把自己來變馬變象；
我要在背上生對羽翼，
變一隻最美麗的鳳凰。

我要叫女人看了妬忌，
我要叫女人知道謙虛；
以後有男子向她求愛，
不再把自己睡在雲裏。

—50—

假使我也和神仙一樣，
會把自己來變馬變象；
我要在身上塗些金色；
變一個鐵心腸的偶像。

那時有女人哭着乞憐，
我便不再會改動聖顏；
也不再忍了汗忍了淚，
做了詩向她們去呈獻。

綠逃去了芭蕉

綠逃去了芭蕉，紅逃去了薔薇，
我再不能在色彩中找到醉迷；
也許會有一個白日或是黑夜，
她將我領回昨天的夢的國裏。

假使落下地的雨點再會高飛，
我一定能採了星和月來贈你；
祇是可憐的白鴿已上了年紀，
他再不想去逗引霞雲的歡喜。

死了的琵琶

這是一隻死了的琵琶，
他再不能歌唱再不能說話；
他已沒有要講的故事，
他已不想把才子去配嬌娃；

他早已是老了的老了，
枯喉裏早沒有熱烈的音調；
幾聲嘆息又幾聲嗆咳，
這便是他靜默的時候已到。

他已沒有甜蜜的消息；
他怕你們把他的苦顏認識。
饒了他吧，莫再去撥彈，
這一隻琵琶早已是死了的。

蛇

在宮殿的階下，在廟宇的瓦上，
你垂下你最柔嫩的一段——
好像是女人半鬆的褲帶
在等待着男性的顫抖的勇敢。

我不懂你血紅的叉分的舌尖
要刺痛我那一邊的嘴唇？
他們都準備着了，準備着
這同一個時辰裏雙倍的歡欣！

我忘不了你那捉不住的油滑
磨光了多少重疊的竹節：
我知道了舒服裏有傷痛，
我更知道了冰冷裏還有火熾。

啊，但願你再把你剩下的一段
來箍緊我箍不緊的身體，
當鐘聲偷進雲房的紗帳，
溫暖爬滿了冷宮稀薄的繡被！

情贜

拿去吧，這是從你那裏偷來的。

去過花叢的誰不帶回一點花香，
一點醉，一點縹緲，再是一點幻象？
昨夜在詩人那裏帶回了些詩意，
今天在情子那裏帶回了些情贜。

像是白薔薇的花瓣兒兩片三片，
又嫩又滑的，留心看暈了你的眼：

這一片有幾千萬斤的勸告，安慰；
那一片有幾千萬斤的酷意，怨嗔；
再有最後的一片，一片早已殘缺不全
是淚兒濕化了，還是經了舌兒舔？
啊，還了你吧，我怕白花瓣會變黃，
他們已離了你，離了生命的源泉。

— 58 —

在紫金山

我沒有攀着藤，也沒有跨着雲．
力的象徵送我上最高的峯巔
我可以打最東邊看到最西邊，
俯視着幾百千種生靈的動靜；
整個的南京原來像一張荷葉，
玄武湖像是荷葉上一顆露珠：
要是這光景可以寫成首短詩，
那麼就試這一幕自然的冷寂。
我再看，看到了最遠處的朦朧，

到鄉下來

到鄉下來—
黃牛的跟前
一碗白飯。

到鄉下來—
天明了上山，
暗了下山。

到鄉下來—

鄉下的老人
沒有年歲。

到鄉下來—
鄉下的少女
會種青菜。

到鄉下來—
做不成詩人，
到鄉下來。

二百年的老樹

在那廟前，水邊，有棵老樹，
光光的腦袋，綿綿的皮膚，
他張開了手臂遠望青山，
像要說訴他心中的悶苦。

二百年前在這裏種了根，
便從未曾動過一寸一分，
他看着一所所村屋切牆，
他看着一所所村屋變粉；

他看着幾十百對的男女，
最初都睡在母親的懷裏，
吮着乳，哭，笑，小眼睛張閉，
不久便離了母親去田裏。

待到男的長大女的長美，
他們便會在樹陰下相會，
一個忘記了田裏的鋤犂，
一個忘記了鍋裏的飯菜。

「我騎在黃牛背上吹小笛，

你坐在竹籬邊上製夏衣，
春天快跨上那山頭樹頂，
別忘了今晚上到後園去。」

「我坐在竹籬邊上製夏衣，
你騎在黃牛背上吹小笛，
春天已跨上了山頭樹頂，
別忘了昨晚上在後園裏。」

他看着他們的臉兒透紅，
他看着他們彎了腰過冬；
沒多時他們也有了兒女，

重複地扮演他們的祖宗。

他已看厭了，一件件舊套，
山上的老柏，河上的新橋；
他希望有一天不同平常，
有不同平常的一天來到。

—66—

新嫁娘

問

啊珠寶冠下的新嫁娘，
一切的榮耀今夜屬你；
你還有什麼事要悲傷？

今夜的愛情當如太陽，
暖暖地貢獻給你胸膛；
你還有什麼事要悲傷？

你迎情而緊閉的唇上，
當添一個男性的吻香；
你還有什麼事要悲傷？

求必得的快樂的箭上，
當將你處女的血沾染，
你還有什麼事要悲傷？

答

咳你要問我爲甚悲傷，
這原是我獨有的痛創；
我怎能有一忽不悲傷！

光明離我暴晒的胸膛，
從此披了罪惡的衣裳；
我怎能有一忽不悲傷！

禍秧兒早有別人種上，
方在是六只眼睛拜堂；
我怎能有一忽不悲傷！

祇可憐這糊塗的新郎，
他將與一個淫婦同牀；
我怎能有一忽不悲傷！